CONTOS AFRICANOS

callis

© 2012 do texto por Ernesto Rodríguez Abad

Todos os direitos reservados.

Callis Editora Ltda.

3ª edição, 2019

2ª reimpressão, 2024

Texto adequado às regras do novo Acordo Ortográfico da Língua Portuguesa

Coordenação editorial: Miriam Gabbai

Tradução: Raquel Parrine

Revisão: Ricardo N. Barreiros

Projeto gráfico: Thiago Nieri

CIP-BRASIL. CATALOGAÇÃO-NA-FONTE

SINDICATO NACIONAL DOS EDITORES DE LIVROS, RJ

A111c

Abad, Ernesto Rodríguez

    Contos africanos / Ernesto Rodríguez Abad ; [tradução Raquel Parrine]. – 3. ed. –
São Paulo : Callis Ed., 2019.

    96p. ; 23 cm.

    Tradução de: *Cuentos africanos para dormir el miedo*

    ISBN 978-85-454-0083-7

    1. Contos africanos – Literatura infantojuvenil. I. Parrine, Raquel. II. Título.

CDD: 028.5

CDU: 087.5

ISBN 978-85-454-0083-7

Impresso no Brasil

2024

Callis Editora Ltda.

Rua Oscar Freire, 379, 6º andar • 01426-001 • São Paulo • SP

Tel.: 11 3068-5600 • Fax: 11 3088-3133

www.callis.com.br • vendas@callis.com.br

Ernesto Rodríguez Abad

CONTOS AFRICANOS

callis

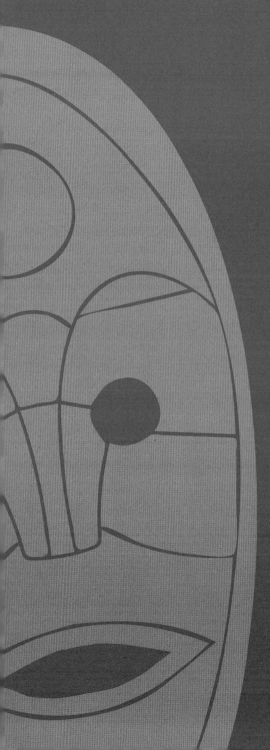

Aos que sonham,
aos que imaginam.
A todos os meus leitores.

Na África,
conta-se contos
para o medo dormir

SUMÁRIO

	Prefácio	11
Capítulo 1	O velho que assustava o medo	13
Capítulo 2	Babak contou como os vulcões e as estrelas nasceram na África	19
Capítulo 3	O menino Ongo Congo e o rio	25
Capítulo 4	Kai e o barco de papel	31
Capítulo 5	Ong'ondi e a selva negra	39
Capítulo 6	O monstro abóbora e a sede	51
Capítulo 7	Orissandra	59
Capítulo 8	Babakar	67
Capítulo 9	Os filhos de Selma	75
Capítulo 10	O último baobá	89

Prefácio

No fim do século XX, eu já tinha contado centenas de histórias em centenas de lugares. Nesses anos todos, sempre procurei contadores de histórias com os quais pudesse me identificar. Depois de muito buscar, finalmente havia encontrado a referência tão procurada. Era 1999, Encontro Internacional de Contadores de Histórias no SESC da Vila Mariana, em São Paulo. O impacto da performance do Ernesto Abad foi como uma raio caindo na minha cabeça. A partir daquele momento, sabia qual direção tomar na minha carreira como contador de histórias.

O contato com o Ernesto, residente da maravilhosa Tenerife, na Espanha, foi se perdendo aos poucos, mas, depois de mais de uma década, novamente nossas histórias se cruzaram. Em 2010, estava saindo do centro de exposições da Feira Internacional do Livro Infantil de Bolonha, Itália, quando vejo o Ernesto entrando. Na hora o reconheci e, para minha grata surpresa, ele também havia me reconhecido. Será que envelhecemos tão pouco assim em dez anos?

Tal encontro resultou em muitas outras histórias. Ele, como editor, traduziu dois livros meus para a Espanha e me convidou para um dos festivais de contadores de histórias mais maravilhosos que já participei: Festival Internacional de Contos de Los Silos, do qual é o criador e o diretor.

Na Espanha, tive o primeiro contato com os livros que Ernesto havia escrito. Sua maestria ao contar histórias era transportada com vigor para o papel. Ao ler os contos africanos, parecia que estava ouvindo Ernesto contá-los com sua voz única e seu amor profundo por cada palavra proferida.

O livro que você tem em suas mãos é um baú de tesouros, repleto de aventura, emoção-poesia e sabedoria. Ernesto nos oferece um manjar de palavras saborosas, espero que todos desfrutem desse banquete africano.

Ilan Brenman

CAPÍTULO 1

O velho que assustava o medo

O menino se aproximou, curioso, do ancião. Tinham dito ao garoto que era o velho mais sábio do continente africano. Passava os dias sentado embaixo do grande baobá que dava sombra à savana. A árvore era seu trono e ele, o rei das terras quentes e secas.

O menino tinha os olhos grandes e brilhantes como bolas de cristal preto, o cabelo cacheado e a pele escura como uma linda noite. Em seu olhar, sempre transparecia uma pergunta. Queria conhecer o mundo, queria saber como era a África.

O ancião tinha palavras incrustadas em suas rugas, suas mãos tinham se acostumado a tecer histórias, sua voz sabia voar como os pássaros, brilhar como as estrelas, escorrer entre as sombras como os peixes coloridos.

Contou ao garoto que queria saber tudo que a única forma de conhecer a África e o mundo era ouvir todos os contos e todas as lendas. As palavras que viajam desde os tempos remotos dentro das histórias dizem mais do que significam.

Elas estão escritas com os fios da noite.

– E como vou descobrir os contos? Quem vai me contar as lendas? – apressou-se a dizer o garoto de olhar ansioso.

O velho sorriu. Naquele sorriso, havia mistérios, sabedorias que vinham do passado, magia de outros mundos.

Encheu a vasilha de barro negrusco que sempre o acompanhava com um punhado de terra e pedrinhas. Depois, levan-

tou o recipiente por cima da cabeça e derramou a terra. Misturou-se no ar e caiu entre a grama e as folhas secas. O menino o escutava em silêncio. Estudava todos os movimentos e ações do velho. Sabia que seu gesto, suas ações e suas palavras tinham um significado mágico. Mais tarde, encheu a vasilha de água e pediu ao garoto que o acompanhasse até o rio. Derramou o líquido sobre o torvelino de águas correntes.

– Escute como a terra se mistura com o vento. Escute as palavras que as águas dizem quando arrastam outras águas.

Estava muito sério. Sabia que tinha que fazer o garoto compreender a importância de aprender o que a terra quer nos contar.

– Todo mundo na África sabe que só precisamos escutar a terra. Os contos estão nela – as palavras do velho pareciam ficar presas nos galhos do baobá.

Nos contos, se escondem segredos. Cada palavra serve para algo além de dizê-la e deixá-la voar ao vento. As palavras podem matar pessoas ou podem acariciar os ouvidos nas noites frias.

Se maltratarmos a natureza, os relatos se perderão.

É a terra que conta, pois as histórias nasceram nela, por isso dizemos que na África se contam contos para o medo dormir.

A voz do narrador navegou entre o vento e as estrelas.

As estrelas cintilam e nessa oscilação percebemos um tinido de sons que vêm do passado. Nas épocas remotas, nasceram as lendas para contar ao mundo como eram as coisas quando as palavras não tinham nascido.

Babak

CAPÍTULO 2

Babak contou como os vulcões e as estrelas nasceram na África

Os meninos se agruparam ao redor da fogueira. Eles gostavam de ouvir a voz daquele senhor. Quando o ancião Babak falava, parecia que toda a selva parava para escutar. Nenhum animal matava o outro, as árvores deixavam de crescer e até o inquieto coelho ficava entocado, com as orelhas pontiagudas reunindo todas as palavras, os suspiros, os silêncios.

O velho disse:

"Há muitos séculos e milênios, quando o mundo ainda estava sendo construído e nada era o que parecia e nenhuma coisa era como a conhecemos hoje, aconteceu uma história muito estranha na África antiga. Era o continente mais enigmático e mais desconhecido. Suas terras eram diferentes dos outros continentes, nelas moravam animais descomunais, indescritíveis e raros. Seus homens falavam línguas de sons estranhos. Seus deuses eram caprichosos e incompreensíveis como o som das palavras que falavam.

Ocorreu naqueles dias que o continente e o céu estavam completamente colados. Assim, aquela grande capa azul, com estampados de algodões suaves e úmidos, protegia a terra das inclemências da natureza. Tudo era agradável e tenro naqueles tempos em que não havia sido inventado nem o tempo. Ninguém sabia como eram os minutos, nem as horas; nem haviam inventado a divisão dos dias e das semanas.

Quando chovia muito, os algodões tenros das nuvens absorviam a água que sobrava. Quando o sol esquentava demais a terra, a capa azul suava e cobria tudo com uma neblina agradável que fazia a temperatura baixar. Tudo era perfeito. Não havia nem grandes calores e nem frios excessivos. A natureza se protegia a si mesma com esmero.

As pessoas, simples e felizes, cantavam a seus ídolos estas melodias quando passeavam ou quando trabalhavam nos afazeres domésticos:

Si-ya-hamb'e-ku-kha-nye-ni kwen-khos,
Si-ya-hamb'e-ku-kha-nye-ni kwen-khos.
Si-ya-hamba, o-oh,
Si-ya-hamb'e-ku-kha-nye-ni kwen-khos.

Aconteceu, em uma manhã, que duas mulheres estavam em plena selva preparando a comida para dar de almoço ao povo da aldeia. Enquanto moíam o painço em seus pilões, cantavam aos deuses e falavam sem cessar. Cada vez que levantavam com força a mão do pilão para moer, davam golpes duros ao céu. Em cada rebote sobre o grão, faziam grandes buracos na terra.

O céu se queixava. A terra protestava. Elas continuavam cantando, cada vez mais alto, sem escutar:

Si-ya-hamb'e-ku-kha-nye-ni kwen-khos,
Si-ya-hamb'e-ku-kha-nye-ni kwen-khos.
Si-ya-hamba, o-oh,
Si-ya-hamb'e-ku-kha-nye-ni kwen-khos.

Cada vez que batiam no céu, faziam uma ferida incurável e a terra rachava em cada toque. As mulheres falando, tagarelando e cantando não ouviam os gritos de dor da terra e os alaridos do céu.

Assim, para não sofrer, o firmamento e o chão decidiram se afastar o máximo possível. Foram para os lugares em que estão até a atualidade.

As batidas na terra formaram crateras que lançam, de vez em quando, lavas acesas, para lembrar as mulheres tagarelas o dano que fizeram. À noite, podemos ver as lacunas que as batidas causaram no céu, deixando passar os raios de luz que a capa negra da noite oculta. Hoje chamamos de estrelas esses buracos no céu."

O velho Babak se calou, as estrelas pareciam mais brilhantes. Os meninos e as meninas cantaram muito baixinho e, sorrindo, caminharam até as cabanas de tijolo cru e palha. O coelho começou a fazer as travessuras e traquinagens de todas as noites.

A história viajante chegou não se sabia de onde.
Entre as águas que as nuvens deixam cair,
encontramos palavras que arrolham os ouvidos.
Cantos do passado que vêm para nos dizer como
nasceram as coisas.

Ongo Congo

CAPÍTULO 3

O menino Ongo Congo e o rio

Há anos, viveu em um povoado distante na África um menino chamado Ongo Congo. Naquele tempo, o continente ainda estava se formando e as coisas eram maiores e mais majestosas do que agora. Ongo Congo gostava de se banhar no rio e brincar com os crocodilos pequenos, saltar da garupa dos hipopótamos ou subir pelos pescoços das girafas. Ongo Congo era um menino como todos os meninos de seu povoado, ainda que um pouco mais ousado e corajoso. Sempre inventava brincadeiras novas e histórias ou falava de povos perdidos na selva.

Quando crescesse, todos achavam que se tornaria um guerreiro forte, ou o chefe da tribo, ou um grande bruxo; mas, para a surpresa das pessoas do povoado, Ongo Congo decidiu se dedicar a inventar instrumentos, utensílios estranhos ou coisas que não serviam para nada.

Seus pais, amigos e familiares estavam preocupados, pois pensavam que se tornaria um imprestável.

Ongo Congo inventou de tudo. Passou dias e dias trancado em sua cabana e, quando saiu, tinha criado umas pedras mágicas que produziam fogo. Mas, como na tribo a fogueira estava sempre acesa, ninguém achou aquele invento útil. Depois, desenhou o espanta-pássaros, mas os garotos se divertiam jogando pedras nos pássaros, nas hortas, de forma que ninguém achou que servissem para algo aqueles artefatos tão

feios. Construiu ratoeiras, mas os gatos do povoado fizeram greve e as jogaram todas no rio. Trancou-se durante muitas luas em sua cabana de palha e ramos; quando saiu, tinha confeccionado uma barca e uns remos compridos e largos; os mais largos e mais compridos que alguém já tinha visto. Todos riram da máquina inútil que Ongo Congo tinha fabricado.

Numa manhã, foi até a margem do rio grande e colocou a máquina na água. E com os grandes remos, adentrou pela selva. Durante dias, deixou-se levar pela correnteza e viu paisagens, árvores e animais que nunca tinha visto. Foi feliz e se deu conta de que podia inventar jogos e músicas com as palavras. Para não se sentir tão só, começou a organizar as sílabas, as palavras, as frases e os acentos, assobiando-os em voz alta, até que balbuciou uma melodia:

Uélé, Uélé, barambo makasi
Uélé, Uélé, barambo makasi

Ongo Congo inventou a música, mas pensou que não contaria a ninguém, porque pensariam que não servia para nada. Ele começou a gostar cada vez mais e cantou com muita vontade no meio do mar. Organizou os sons e os silêncios, brincando com o ritmo das águas e do mar. Era uma brincadeira emocionante:

Uélé, Uélé, barambo makasi
Uélé, Uélé, barambo makasi
Apekisi pamba, apekisi pamba.

Ongo Congo deu a volta ao mundo em seu barco. Viu animais novos, viu cores que nunca havia visto. Cantava. Encontrou árvores e frutos estranhos. Nadou com peixes de escamas douradas. Inventou canções novas. Falou com homens de cabelo amarelo como as praias da África, comeu com homens de cabelos vermelhos como o fogo ou com povos com a pele da cor dos raios do sol. E cada vez que estava feliz em alto mar ou cada vez que estava sozinho, cantava. Cantava.

E um dia, já muito velho, quando os cachos dos seus cabelos ficaram brancos, voltou à tribo arrastado pelos ventos. Ongo Congo chorou de emoção quando reconheceu as árvores, e as terras e os povos. Cantou em voz baixa, com tremores na voz. O que nunca conseguiu entender foi como os meninos sabiam sua canção e a cantavam, enquanto remavam pelo rio:

Uélé, Uélé, barambo makasi
Uélé, Uélé, barambo makasi
Apekisi pamba, apekisi pamba.

Só tinha que parar na margem e escutar. As ondas podem falar tantas coisas, podem guardar tantas histórias. O mar traz segredos difíceis de descobrir. Nos entardeceres coloridos, as palavras que viajam nas ondas ficam presas nas cristas de espuma e podemos recolhê-las entre as rochas, da mesma forma que prendemos os mariscos incautos.

Kai

CAPÍTULO 4

Kai e o barco de papel

Kai era uma menina de nove anos. Estava magra e parecia que tinha só seis, mas sua cabeça já tinha ideias de mais velha e inclusive de idosa. Kai vinha de uma tribo masai, mas há anos vivia com seus avós, nas redondezas de uma cidade barulhenta e suja. Dormia encolhida entre papelões e trapos, sobre um colchão surrado. Às vezes, a fome a acordava como uma mordida no estômago. Comia em um prato de latão que tinha sido da sua mãe. Ia à escola todos os dias e brincava com os outros meninos e meninas entre o lixo e o pó ardente do descampado rodeado de barracos.

Kai tinha aprendido uma canção na língua dos seus antepassados. Ela gostava de cantá-la, mas, no dia em que aprendeu o que significavam as palavras, ficou triste e pensou que parecia que falava de si mesma: "Mande-me uma carta, mamãe. Mesmo que esteja aprendendo na escola, estou com saudades de você e quero voltar contigo."

– Estou com saudades de você e juro que não entendo por que você foi embora.

Naquele dia, cantou muito baixinho, como se quisesse que os flamingos que passavam, voltando em direção à Europa, levassem as palavras para sua mãe.

Se ela soubesse onde sua mãe estava. Talvez os pássaros pudessem lhe levar a verdade guardada na canção que aprendeu. Eram melodias antigas, mas falavam da realidade:

Kai-yeu na-un em-pa-lai ma-ma, ma-ma.
Kai-yeu na-un em-pa-lai ma-ma, ma-ma.
Kai-yeu na-un em-pa-lai.

Quando terminou, olhou para o céu. Pareceu-lhe que um daqueles flamingos havia se aproximado. Estava voando mais baixo, mais perto da terra que o resto da revoada.

Kai tinha certeza que ele a tinha escutado. Levaria aqueles velhos versos a sua mãe.

– Ela está lá... nas ilhas da felicidade – gritou muito alto.

Os flamingos se distanciaram. Com certeza, suas palavras iam coladas nas penas suaves e rosadas. Kai sorriu. Sua pele era como uma noite escura e brilhante. Seus olhos como estrelas. Seu cabelo negro parecia ser feito de obsidiana e noites.

Ao olhar para o chão, viu um pequeno barquinho de papel. Sentiu que era um sinal. Os flamingos indicavam que fosse em busca de sua mãe.

Kai falou com seus avós. Tinha decidido viajar às terras em que sua mãe trabalhava. Disse adeus aos barracos, à miséria; também deixou para trás o carinho dos seus entes queridos, seus amigos e seu gato magro.

Teve que caminhar muito para encontrar o mar. Pensou no barquinho de papel, agora que subia em um barco feio e capenga, mas real.

Fechou os olhos e apertou os punhos com muita força, como quando pedimos um desejo. Cantou tão alto quanto pôde a canção de sua mãe.

Kai-yeu na-un em-pa-lai ma-ma, ma-ma.
Kai-yeu na-un em-pa-lai ma-ma, ma-ma.
Kai-yeu na-un em-pa-lai.

Depois, teve medo. Quando abriu os olhos, a noite tinha confundido o céu com as águas do oceano. Estava em alto mar, encolhida no fundo de uma balsa. As ondas pareciam monstros saídos das profundezas. Quando os rugidos do mar pareciam bramidos de feras, quando o frio quebrava os ossos, teve vontade de chorar.

Agora sabia o que era o medo. A estrada até as ilhas da felicidade não era como tinha imaginado.

O sol a acordou como uma ferida. Sacudiu-se no fundo do barquinho. Estava paralisada. Moveu o corpo como se quisesse desprender-se do medo e do frio da noite.

Não encontrou seu corpo. Era uma linda gaivota que podia voar.

As ilhas da felicidade estavam embaixo dela. O grande vulcão fulgurava com os raios de sol do amanhecer.

Sua mãe estaria ali, esperando-a. Já tinha encontrado a nova vida que havia buscado.

Cantou muito alto, enquanto voava, e as palavras pareciam acariciar as nuvens:

Kai-yeu na-un em-pa-lai ma-ma, ma-ma.
Kai-yeu na-un em-pa-lai ma-ma, ma-ma.
Kai-yeu na-un em-pa-lai.

No fundo sujo da barca, o corpo de Kai balançava. Parecia adormecida, fazia frio.

Suas palavras viajavam no vento. O céu era azul e o sol brilhava.

As árvores estão cheias de murmúrios, de palavras
que balançam de galho em galho e de folha em folha.
As selvas e os bosques nos sussurram histórias.
Só temos que nos sentar embaixo das árvores e esperar
que a brisa faça uma palavra saltar em busca de outra;
depois, a empurrará até outro galho onde a seguinte
espera; assim, as palavras se unem na selva, movidas
pela brisa; assim, as árvores nos contam os segredos.

Ong'ondi

CAPÍTULO 5

Ong'ondi e
a selva negra

Mo-ko-ng'o-on-di,
Mo-ko-ng'o-on-di,
Mo-ko-ng'o-on-di, Ke-ru-bo Mo-ko-ng'o-on-di, re-nde.

Quem foi o grande Ong'ondi? Essa pergunta foi feita por muitos meninos no Quênia, quando brincavam e cantavam esses versos que se repetiam desde tempos remotos. No povoado, entoavam aquela canção desde que os mais velhos tinham memória, mas ninguém lembrava quem era aquele guerreiro que todos os meninos adoravam.

Um dia, uma mulher deu à luz um menino forte e grande. Decidiu colocar nele o nome de Ong'ondi. O menino cresceu ouvindo aquela canção que falava de seu nome e quis saber cada vez mais coisas sobre aquele guerreiro legendário e suas façanhas.

Começou a sentir vontade de conhecer o mundo. Em uma manhã quente de verão, decidiu percorrer a selva até mais além das árvores e dos lagos proibidos, para encontrar a resposta para aquela canção e saber quem era o guerreiro e quem ele tinha vencido, como dizia a canção. Caminhou durante muitos dias. Percorreu lugares insólitos e desconhecidos.

Ong'ondi não achou respostas. Voltou abatido e envergonhado. Tinha visto os lagos de sal e as planícies da morte. Tinha pisado nas pedras de fogo. Tinha corrido entre os leões

gigantes, mas nada prendeu sua atenção. Nada fez que ele desviasse a vista, caminhava ensimesmado em sua ideia de conhecer o seu passado.

No povoado, perguntavam-lhe e cantavam-lhe a canção dos jogos tradicionais e riam.

Ong'ondi se remoia de raiva e se calava. Pressentia que a história daquele herói legendário deveria ser apaixonante. Sabia em seu interior que aquele herói esquecido tinha uma importância vital para seu povo.

Um dia, estava entediado com outros meninos com os quais brincava na selva e começou a caminhar sem rumo e sem saber aonde queria ir. Adentrou veredas de que ninguém se aproximava. Chegou ao rio das águas negras e, sentado sobre uma pedra, começou a entoar a melodia da velha canção:

Mo-ko-ong'o-on-di.
Mo-ko-ong'o-on-di.
Mo-ko-ng'o-on-di, Ke-ru-bo Mo-ko-ng'o-on-di, re-nde.

A doce voz do menino começou a se estender pela selva como um tapete de pétalas suaves. Nas curvas do rio, onde as águas eram menos escuras e profundas, cabeças de peixes curiosos se aproximaram; nas árvores, que antes pareciam desabitadas, se debruçaram olhos admirados de pássaros

estranhos que assoviaram a melodia para acompanhar o menino. Atrás de alguns troncos, apareceram os focinhos feios de animais desconhecidos. Quando Ong'ondi ficou calado, uma quietude profunda tomou o lugar. Parecia que naquelas partes não havia espaço nem para o silêncio. O garoto teve consciência do ambiente em que estava. Olhou ao redor. Nada era o que parecia. Tudo era novo. Nunca tinha visto um lugar igual, nem sequer o havia imaginado em um dos seus sonhos singulares. Retrocedeu, atemorizado, quando ouviu atrás de si uma voz que não sabia de onde saía.

– Quem te ensinou essa melodia, garoto?

Ele não soube o que dizer, ou melhor, não encontrou palavras em sua boca seca. Levantou a vista e não viu ninguém. Pensou, para se tranquilizar, que poderia ser o vento fazendo barulho entre os galhos secos das árvores.

– Você não me escutou, garoto? Quem te ensinou a cantar assim?

– Ninguém.

– Responde-me. Não quero que diga bobagens.

– Escutava minha mãe cantar.

– Quem te ensinou essa canção?

– Não sei, todo mundo a canta.

Ong'ondi olhava e esquadrinhava com os olhos assustados tudo o que o rodeava. Não conseguia ver onde estava a

mulher com quem falava. As árvores povoavam o lugar de tal forma que não deixavam ver a paisagem. Com o tempo, pôde distinguir a boca que se movia lentamente na casca escura de uma árvore. Pensou que estava ficando louco, já que as árvores não têm boca. Depois, distinguiu os olhos, as orelhas, o cabelo emaranhado, o nariz e os dentes brilhantes.

– Nunca tinha visto alguém da minha tribo?
– Não.

Ela o rodeou de cantos e canções. Contou que vivia pregada às margens do rio. Confessou que enganava os humanos que chegavam ali, os levando à margem da qual não podiam regressar. Já era tarde. O menino estava enlevado por suas palavras.

A mulher-madeira se movia lentamente. Com os olhos castanhos e rajados, esquadrinhava o menino. Levantou com parcimônia uma mão-galho, abriu a boca de casca e riu. O cabelo parecia uma samambaia de galhos fracos e folhas secas, quase caindo. A mulher-madeira começou a contar um conto bonito a Ong'ondi. Sua voz parecia que estava oculta em um tonel de madeira velha.

"Quando o continente era um fervedouro de vulcões que se rebelavam contra o céu, quando os homens viviam escondidos em cavernas com medo dos deuses que ainda moravam na terra e tinham grandes predadores como mascotes, quan-

do os rios e os mares se levantavam em ondas gigantescas, viveu nestas terras um jovem chamado Ong'ondi. Parecia que tinha sido esculpido em ébano e marfim. Nunca se havia visto um homem tão belo naqueles lugares e todas as mulheres brigavam para se casar com ele. Era forte, bom e agradável com todos. Cuidava dos mais fracos e brincava com os meninos. Ajudava os velhos a passarem a vida e era alegre com as meninas. Divertia-se e vivia feliz na selva.

Um dia, a mulher mais bela do continente decidiu se casar com ele. Falou com seu pai, o rei do povoado, e este decidiu que o jovem deveria passar por algumas provas para ganhar a mão da princesa. Ela era a herdeira. Era a encarregada de salvaguardar seu povo e de conservar a tocha sagrada de paz e felicidade. Se o fogo sagrado se apagasse, a desgraça, a seca e a morte se apoderariam de seu povo. Ela tinha que provar que Ong'ondi era merecedor de ser seu esposo e chefe dos guerreiros da tribo.

O jovem deveria atravessar o rio da morte e voltar vencedor do rei dos ogros que morava no outro lado.

Passaram os dias, e o garoto se preparou para realizar a façanha e sair vencedor. Chegou a esta margem como você chegou agora. Era belo. Seu corpo brilhava nos raios de sol que eram filtrados pelos galhos e as folhas dos meus cabelos. Olhei para ele e pensei que nunca tinha visto um ser humano tão perfeito. Senti pena, porque sabia que iria morrer do outro lado. O ogro da margem sombria o tragaria assim que chegasse. Ele me perguntou como passar. O rio é profundo e tortuoso em algumas partes. Ele traga as pessoas incautas que pretendem atravessá-lo sem que sejam levadas por nós, as mulheres-árvores. Somos as únicas que podem ir e voltar. Mas estamos condenadas a permanecer eternamente atadas a estas terras lamacentas onde só as pestes habitam e onde não crescem flores nem brotam frutos. No centro do rio, há um abismo profundo que devora os navegantes com seus barcos e suas armas. Ninguém voltou nunca do rio da morte.

O garoto devia levar ao rei, para poder se casar com sua filha, o colar da imortalidade que o ogro tinha amarrado ao pescoço. O jovem corajoso, que tinha o teu nome, Ong'ondi, partiu brilhando ao sol, com o olhar do triunfo, com a esperança e o orgulho na pele. Sei que chegou à outra margem, ajudado pelos crocodilos e pelos peixes, sei que conseguiu arrancar o colar do ogro, que desde esse dia brame como um monstro e esmaga todo broto de vida que se aproxima da margem que domina. Tudo ali é desolação e dor. Nada brilha. Nada é belo. Nada é bom."

Com o feitiço das palavras da mulher-árvore, Ong'Ondi não percebia que ela o estava levando à outra margem. Havia deslocado o tronco e suas raízes até o rio, havia entrado nas

águas sigilosas e flutuava como um grande navio de madeira. Os cabelos de folhas emaranhadas se agarravam à brisa para tomar velocidade. Sua voz era cada vez mais melodiosa e cativante. Ong'ondi pensava que estava dormindo e sonhando. Via todas as coisas através de uma neblina de cores. A casca daquela mulher exalava uma fragrância que enfeitiçava. As palavras perdiam significado, mas cada vez soavam mais bonitas. O ar ficava espesso, quase irrespirável. O cheiro da morte, que chegava da outra margem, despertou Ong'ondi de seu sonho. O menino se agarrou ao tronco da mulher-madeira. Ela tentou contê-lo com um galho. Lutaram por um tempo. Folhas caíam, emaranhadas nas águas negras, desprendiam-se pedaços de ramos que desapareciam entre o chapinhar de dentes afiados. O ogro gesticulava na outra margem. Gritava e mostrava os caninos brilhantes, as garras de unhas sujas, as grenhas cheias de predadores e passarolos. Cada vez que chutava com fúria, levantava uma nuvem de poeira naquelas secas terras da morte que ocultavam inclusive o sol em uma nuvem suja e marrom. O tremor que seus chutes produziam na terra levantava ondas no rio que faziam a mulher e o menino cambalearem. A luta era feroz. Em alguns momentos, aproximavam-se da margem, e o ogro estendia os braços coléricos, quase tocando com as garras os cabelos crespos de Ong'ondi. A árvore vacilou, arremessada por uma onda imensa. As águas

putrefatas os molharam. O monstro bramiu com fúria. O ogro deu um soco forte nas águas. Ondas de vinte ou trinta metros saltaram pelos ares. Ong'ondi foi lançado. A mulher-árvore foi tragada por um torvelinho de águas e lodo. O ogro saltava entre uma nuvem de poeira que às vezes o cegava. O barro negro, as águas e os restos das ondas sepultaram o monstro em um lodaçal nojento. O garoto voou pelos ares durante muito tempo, agarrado em um galho duro que se desprendeu da mulher-madeira, até que se estatelou em uma pedra sílex de formas irregulares, quase humanas, com um estranho colar de pedras brilhantes enrolado no extremo superior. O galho se incrustou por um orifício da pedra dura. Ong'ondi sentiu um tremor estranho percorrer-lhe o corpo. Notou que a rocha a que permanecia abraçado rachava, quebrava. Tocava carne com carne. Viu-se cair no chão abraçado em outro corpo. Quando se separou, viu-se a si mesmo, brilhante, sorrindo, belo. Seu duplo estendeu a mão em que levava um colar grosso de pedras brilhantes. Antes de envelhecer rapidamente e voar, convertido em cinzas, disse: "Estive te esperando por séculos."

Ong'ondi percorre caminhos e povoados. Nunca quis voltar a sua aldeia. Vai de uma tribo a outra, não quer ter pátria ou casa. Só deseja cantar canções, contar contos, ou recitar extensas histórias para aqueles que quiserem ouvir.

As abóboras nasceram nos contos, não nas hortas. Parecem ter sido feitas com ouro de mundos imaginários. Guardam histórias estranhas, seres vindos de lugares fantásticos, palavras enfeitiçadas. Esta história aconteceu há tanto tempo que nem os deuses se lembram. Podemos escutá-la, mesmo assim, se apoiarmos a cabeça em uma abóbora gigante e deixarmos que os sons que crescem dentro dela nos sussurrem o que aconteceu.

Bong

CAPÍTULO 6

O monstro abóbora e a sede

Em todos os cantos da selva, se ouvia a canção que entoavam na tribo para pedir ao furioso monstro abóbora que lhes devolvesse um pouco de água:

Ma-jo-lo me ma-bo-yi-nka, di-si-mi se-lu-ku a-mba.
Bong pa i-mi-sha-lo Bong pa si-i a-mba.

– Nada cresce na terra.
– A água se foi do povoado.
– A terra morre de sede.

Por todas as partes, se ouviam esses lamentos. Todos os habitantes daquelas terras sedentas se queixavam de que o deserto calcinado os comeria. Muitos foram os dias em que tiveram que suportar a sede na selva.

Ouviam-se os lamentos dos elefantes como choros intermináveis:

A i i i i i i i i i i i u u u u u u u.
A i i i i i i i i i i i u u u u u u u.

As hienas se retorciam entre os arbustos com queixumes que pareciam risos:

Riiiiiiiiiiuuuuuuu. RiiiiiiiiiUUUUUUU.

Das tocas, dos ninhos dos pássaros, das guaridas mais profundas, emanava um lamento infinito. As árvores rangiam de sede e a terra se partia de dor.

Um dia, um jovem corajoso chegou correndo ao povoado. Tinha descoberto algo que poderia salvar sua tribo e a selva. Ele sabia que, se as árvores morressem, tudo na terra morreria.

– Eu já vi isso. O monstro abóbora.

– Ahn? Ahn?

– O monstro abóbora.

– O quê? O quê?

– O monstro abóbora é quem traga a água.

– Oh! Oh!

– Eu vi com meus próprios olhos. Ele mora no sopé da grande montanha. Cobre-se com as folhas enormes que crescem de seus ramos e, quando a chuva vai cair, abre sua boca grande. Parece que se parte em dois e traga a chuva toda. Quando os rios vão passar do seu lado, também os engole.

As pessoas da tribo começaram a entoar uma canção. Pouco a pouco, os animais e os insetos de toda a selva se uniram a eles. Durante toda a noite, se ouviu esta melodia:

Ma-jo-lo me ma-bo-yi-nka, di-si-mi se-lu-ku a-mba.
Bong pa i-mi-sha-lo Bong pa si-i a-mba.

Bong, que era o nome daquele garoto, decidiu marchar para lutar contra a terrível abóbora. Demorou dias para chegar ao sopé da grande montanha onde vivia o monstro. Bong sentiu um pouco de medo quando o viu de longe. Era enorme. Parecia uma boca grande, que se parecia com um túnel, que parecia uma caverna interminável. Dava para escutar as águas profundas e negras correndo pelo estômago descomunal. Bong cantou com força o lamento de seu povo e atacou com toda a vontade seu inimigo, mas a abóbora enorme nem se alterou. Depois, tentou atirar pedras, feri-la com a sua lança, cravar-lhe sua adaga afiada de sílex, mas foi inútil. Passou várias semanas tentando vencê-la. Já havia perdido suas forças quando, em sua mente sedenta, uma ideia se iluminou. Bong buscou um galho seco. Com muito trabalho, esvaziou-o por dentro, encheu de pedrinhas e tapou os dois extremos. O instrumento soava como água. Bong se aproximou cautelosamente do monstro, preparou grossos troncos de madeira dura e resistente. Começou a fazer soar seu instrumento. A abóbora, quando ouviu o som da água, abriu sua boca enorme e esperou. Bong, ajudado por alguns macacos e elefantes, foi travando a caverna descomunal com os troncos grossos do baobá. Logo depois, a água prisioneira quis se unir às gotas que soavam fora da prisão e saíram para molhar

a terra, as árvores, os animais e os homens. Os rios voltaram a se encher de águas que corriam tempestuosas, os lagos transbordaram em suas bacias; os meninos, as mulheres e os homens chapinharam nos charcos durante muitos dias, cantando e dançando.

Bong é hoje o guardião da gruta da abóbora, pois não pode deixar que os troncos de madeira se rompam e que o monstro feche a boca e volte a engolir a água.

O Sol e a Lua se olhavam na selva da África. Parecia que brincavam de se perseguir, se perder e se encontrar entre as árvores. Os velhos do continente dos cinco rios asseguram que, há muitos anos, o Sol e a Lua viviam como as pessoas, na terra. E que se apaixonaram. Os velhos na África sabem muitas coisas, são como as bibliotecas.

Orissandra

Capítulo 7

Orissandra

Orissandra era filha de reis. Tinha nascido em um pequeno povoado de Cabo Verde, diziam que desde pequena era a menina mais bonita do lugar, porque seus olhos brilhavam como cerejas negras e eram grandes, e neles se viam palavras e sonhos. Os cabelos negros se juntavam em tranças pequenas como flores redondas, adornadas, cada uma, com fitas de cores alegres. A pele era negra e brilhante como uma linda noite.

A velha que tinha os olhos como estrelas cintilantes tinha dito que ela teria o dom de conjurar as palavras. Orissandra seria portadora de histórias do passado de seu povo. Onde quer que estivesse, ela deveria contar os relatos de seus antepassados.

Agora, a África estava longe. Orissandra ia a uma escola no subúrbio de uma cidade chuvosa e fria, muito diferente das que ela lembrava nas terras quentes. Seus pais tinham partido há muitos anos. Quando falavam das lembranças da viagem, uma sombra preenchia os olhos de todos. Tinha sido duro navegar em um barco pequeno. As noites eram tenebrosas, não podiam dormir por medo de cair na água, os olhos doíam de tanto buscar o horizonte. E a fome, a sede, o medo. Anos mais tarde, mandaram buscá-la. Agora, Orissandra era uma menina entre outras na Europa, mas quando lembrava dos contos da avó, seu coração ardia como a savana ao meio-dia.

Os meninos se sentaram no chão. A professora tinha dito que cada um teria que contar uma história. Ela começou assim.

"A Lua da África não é como as outras Luas. A Lua africana tem uma cor diferente. Tudo começou quando o Sol se apaixonou por ela, lá pelos tempos antigos, em que não havia nem dia nem noite e os astros viviam juntos.

A Lua passeava se olhando nas águas do rio. O Sol brincava com os animais e se escondia atrás das nuvens. Um dia, perceberam que haviam se apaixonado e decidiram se casar."

Naquele momento, Orissandra começou a entoar uma canção que ninguém entendia, mas nos sons se ouvia a voz da África. Levantou-se e dançou uma estranha dança ao redor da sala de aula. A escola não era a mesma e a luz que entrava pelas janelas parecia trazer os ares da selva.

A voz da menina fazia as carteiras começarem a florescer em ramos, folhas e raízes que perfuravam os frios ladrilhos de granito. Do teto, caíam lianas, e nas janelas se debruçavam macacos, girafas e antílopes. Rãs enormes lançavam suas línguas e engoliam centenas de mosquitos barulhentos. O elefante bramava. Os barulhos dos carros na rua viraram rugidos de leões ferozes.

A lâmpada de neon brilhava com a força do Sol africano.

A luminária da professora na mesa tinha se transformado na namoradeira Lua apaixonada.

Orissandra dançava e narrava:

"Pouco tempo depois, nasceu um menino. Era estranho, porque tinha a pele tão branca que assustava as pessoas.

– Que feio!

– Dá pena olhar para esse menino.

– Ele me dá medo.

– Que horrível é esse filho da Lua e do Sol!

Os pais ficaram tristes e cada vez falavam menos. O Sol começou a colocar a culpa na Lua por seus raios prateados. A Lua dizia que era pela cor amarela dele. Distanciaram-se tanto que decidiram ir embora, longe da terra. A Lua decidiu reinar em um lugar que chamou de noite, enquanto o Sol escolheu o reino do dia. Dessa forma, nunca se encontrariam.

O menino da pele branca ficou abandonado na terra, sozinho e triste. Ninguém se aproximava dele. Ninguém falava com ele. Ninguém tinha visto um menino com a pele tão branca naqueles lugares.

Um dia, adentrou a selva e ninguém o viu de novo. Quando se olhava nos charcos que o rio deixava, ele mesmo pensava que a brancura da sua pele era muito feia.

Em uma noite, sonhou com uma dança. Era muito estranha. O bailarino tinha cara de madeira e seu corpo estava coberto de plantas trançadas.

Acordou como todos os dias. A cada manhã, sua mãe dei-

xava cair uma lágrima em forma de orvalho, era um beijo de água triste; seu pai o apagava com uma carícia de fogo.

Nem sequer se preocupou em conseguir o café da manhã. Com uma casca escura, entalhou as linhas de um rosto. Tinha inventado a primeira máscara. Procurou as plantas secas mais resistentes e foi trançando-as em uma teia tosca e áspera. Criou o primeiro vestido.

Estava tão feliz que dançava entre as árvores e tirava sons dos troncos e das pedras.

Assim, o filho do Sol e da Lua chegou à tribo, e os homens e as mulheres não gritaram de medo. Olharam para ele, surpresos, e dançaram com ele. Fizeram uma cabana e todas as tardes, na hora do entardecer, quando o Sol e a Lua se encontram no céu por um momento, dançam e cantam. Nesse momento, as histórias são contadas."

Orissandra continuou dançando por alguns instantes. Os olhos dos meninos e das meninas brilhavam. A voz da selva estava ainda entre eles.

Pouco a pouco, ela foi parando de se mover. As lianas, os ramos, os macacos e os rugidos começaram a se evaporar.

Outra vez, apareceram as carteiras, as janelas vazias, a luz de neon, a luminária da professora e os ruídos da estrada.

A voz da professora soou na sala de aula: "Meninos, preparem os livros de matemática! A hora de sonhar contos acabou."

Os olhos de Orissandra ainda brilhavam quando abriu o livro de matemática na página 52. Os números, as raízes quadradas e as equações pareciam aventureiros intrépidos de uma selva incomum, em um céu estranhamente branco.

O quatro enfeitiçado
fez uma pirueta.
A raiz quadrada
voou num cometa.
Fez uma parada
a soma perneta
e restaram palavras
na barra pintada
sobre o céu branco
de uma caderneta.

$$\frac{Amor - Sonhar}{25005}$$

$$\frac{Luz - Beijo}{2}$$

$$selva \sqrt{525}$$

Há jaulas nas quais aqueles que não acreditam na magia prendem as palavras. Na África, contam histórias para o medo dormir e é então que as palavras se sentem livres e podem voar entre o baobá e as acácias amarelas, entre a grama seca da savana e os raios de sol do crepúsculo. Pousam nas nuvens e, durante as noites, brilham com a luz das estrelas.

Babakar

Capítulo 8

Babakar

Babakar tinha quinze anos e queria voltar para sua terra. Sentava-se em uma esquina do abrigo em que o haviam internado. Tinha vindo procurando a liberdade e encontrou uma casa com grades.

Contaram-lhe muitas coisas, tinha conversado com viajantes que vinham dos longínquos países da Europa e lhe contavam como era a terra em que as pessoas viviam rodeadas de tudo o que quisessem.

Babakar tinha sonhado em levar ao lugar de seus antepassados coisas que eles jamais tinham visto. Sonhava com carros velozes para atravessar o deserto. Imaginava voar em teco-tecos desordeiros, cortando o céu. Relógios da última moda. Telefones, roupas, tênis.

Mesmo que não pudesse tocar as coisas, sonhava com elas.

Imaginava grandes comércios, os parques, as avenidas, as cafeterias. Mas ele não podia ir.

Estava, com outros companheiros, em um lugar com grades.

Mas, um dia, Babakar se lembrou do avô. Viu-o embaixo da árvore do entardecer. Tecendo histórias e as dando de presente para as pessoas do povoado. Depois, eles eram felizes com as vidas de sonho que ele lhes entregava.

Apoiado na parede sebosa, lembrou-se, como uma fantasia, de um dos contos mais bonitos que seu avô havia contado. Falava de amizade e colaboração. Eles precisavam saber que,

se ajudassem uns aos outros, a vida podia ser mais suportável. Reuniu quatro companheiros de olhar sombrio e disse:

"Um passarinho ficou um dia esperando sua mãe na copa de uma árvore.

Ela havia partido, sozinha, para procurar comida por outros lugares. Ele ficou em um galho, triste e desvalido. Esperava sua mãe muito nervoso, mas quem chegou foi a noite escura. As horas passaram muito lentas, e o dia veio buscar a luz. A mãe não tinha voltado.

O passarinho começou a sentir medo. Estava paralisado e sem voz, porque, de tanto gritar, as palavras tinham fugido.

As horas passavam lentas e entediantes. Tentava cantar e não conseguia.

Ao entardecer do dia seguinte, apareceu uma velha hiena manca debaixo da árvore. Uivou. O pássaro se assustou. A hiena lhe pediu para descer, que ela cuidaria dele, daria-lhe comida e o adotaria como se fosse seu filho.

Ele pensou que ela queria enganá-lo. Os outros pássaros tinham lhe contado que as hienas eram malvadas e mentirosas.

Ele tinha certeza de que ela o devoraria sem pensar. Olhava-a e a imaginava o saboreando.

Ao amanhecer do dia seguinte, ela continuava uivando embaixo da árvore.

– Anda, desce, acredite em mim. Eu cuidarei de você.

– Não, com certeza você me comerá.

– Não seja desconfiado.

– Não.

– Precisamos acreditar nos outros.

– Você é malvada e com certeza está com fome.

– Você precisa confiar na minha palavra. Não somos todos iguais.

– Você não está me enganando mesmo?

– Já sou velha e estou sozinha. A única coisa que quero é te ajudar.

E aconteceu uma coisa estranha. Nunca na selva se viu uma hiena cuidar e educar um passarinho. Mas todos os animais entenderam que, se colaborassem, se ajudassem, podiam viver melhor."

Quando terminou o relato que seu avô lhe havia contado nos confins da selva, Babakar notou que as caras dos seus companheiros brilhavam de maneira diferente. As paredes sebosas do pátio pareciam mais bonitas e o sol era semelhante ao da África.

A partir daquele dia, ele virou presenteador de histórias. Ele e seus companheiros compreenderam que poderiam ser mais felizes se deixassem a imaginação voar e vivessem nos contos.

Ninguém sabe disso, mas as palavras nos oferecem refúgios, como pequenos ninhos. Estão dentro delas. Só precisamos abri-las e nos encolhermos bem no fundo.

A partir daquela tarde, teceu uma história especial para cada companheiro. Para o que desejava ser jogador de futebol em um time extraordinário, contou uma história que o fez viver a experiência de participar das copas do mundo e ser campeão; o que queria ser cantor soube o que era o sucesso em uma banda de rock, viajando por todo o mundo em uma caminhonete cor-de-rosa, cheia de adesivos e mensagens de fãs. Outro viajou à Lua em um foguete espacial. Outro se casou com uma princesa, virou um preguiçoso e ficou gordo como um hipopótamo. Outro foi policial e viveu aventuras extraordinárias. Não se encaravam mais como garotos chatos de um abrigo. Viam o que poderiam ser quando se olhavam e falavam cheios de esperança.

Sua fama transpassou os muros do abrigo. Babakar, com apenas quinze anos, virou o mais famoso inventor de sonhos que havia existido na cidade.

E as pessoas chatas daquele lugar rico, cheio de avenidas, de comércios, parques, bondes e carros, iam escutar o garoto de ébano que presenteava histórias de um mundo de árvores ainda verdes, de rios limpos e entardeceres coloridos. Fazia feliz a todos que só tinham coisas materiais e não sabiam ver que a imaginação é o maior dos dons que os humanos têm.

Babakar, com apenas quinze anos, entendeu que vender fantasia é o melhor presente para homens e mulheres.

O rio, silencioso e amarelo, que atravessa a África como uma cicatriz, é o Saara. Sigiloso e enigmático, move-se em busca do mar. As dunas ocultam cidades do passado, as areias escrevem segredos que ninguém saberá, e os olhos dos homens azuis do deserto sabem ver as marcas do passado nas pegadas inquietas. São palavras que têm que ser compreendidas, são histórias que a terra quer nos ensinar.

Jazmina e Walid

Capítulo 9

Os filhos de Selma

Jazmina e Walid moravam perto do deserto. Sua casa era uma pequena cabana que abria uma única janela para a imensidade amarela. Por ela, parecia que entrava a lua pelas noites e os perfumes das flores misteriosas que cresciam escondidas na areia. O grande Saara começava na casa e chegava até o infinito. Moravam com sua mãe, separados do resto da cidade. Eram filhos de Selma e ninguém queria brincar com eles, ninguém queria falar com eles, porque tinham o cabelo branco e a pele morena. Fecharam-se entre quatro paredes. Só dava para ouvi-los cantar quando ia sair a lua cheia. Eram umas canções cheias de melancolia que falavam de guerras distantes, de homens e mulheres livres.

Quando Selma foi envelhecendo, deixava seus filhos lavarem e pentearem sua longa cabeleira. Não tinha perdido o brilho, nem a suavidade. Eles a perfumavam com água das flores misteriosas da areia e a penteavam durante horas, enquanto ela sussurrava canções silenciosas.

Jazmina e Walid cresceram livres no deserto e sabiam escutar o silêncio. Olhavam durante horas a areia amarela, percorrendo os caminhos que o siroco traçava sobre a areia. O vento desenhava traços em cadernos efêmeros, que faziam a imaginação dos humanos voar. Aprenderam desde pequenos a ler os rastros. Sabiam, pela pegada, que pessoa ia ou vinha. Conheciam as marcas dos camelos e podiam descobrir a hora

que alguém tinha passado perto da casa. Colocavam nomes neles para distingui-los: Ozmin, Voador, Djedidi, Massud, Daraja, Claro de Lua, Soliman, Raio Azul... Assim, todos os camelos das redondezas foram batizados por suas pegadas.

Jazmina e Walid se debruçavam na janela de casa nas noites de lua cheia. A partir dela, viajavam pelo mundo. O universo pequeno da cabana pobre em que moravam crescia por aquele olho maravilhoso. A areia, nas noites de lua cheia, era pálida e parecia que se enchia de murmúrios e cânticos ocultos. Quando eram pequenos, os dois irmãos pensavam que eram filhos da lua, porque o cabelo e os olhos albinos os delatavam. E quando o astro vinha para vê-los, eles lhe contavam suas dificuldades, suas tristezas e também as alegrias da solidão em que viviam.

Disseram a eles que perto do continente existiam umas ilhas da felicidade. Quando eram pequenos, contavam a eles que as pessoas, ao passar para a outra vida, iam a um lugar onde não fazia frio nem calor, onde não havia pestes, nem animais ferozes, onde cresciam os frutos sem precisar cuidar deles e onde as pessoas sorriam sem motivo. Eram as ilhas banhadas por águas mornas e mansas, onde a espuma brincava com as pedras negras e onde os homens e as mulheres sonhavam eternamente. Dentro do grande vulcão da ilha, morava a rainha Natureza. Ela provia os homens e as terras de tudo

o que necessitassem, mas eles deveriam respeitá-la e tomar conta dela.

Eram as Ilhas do Grande Vulcão. Os humanos escreviam histórias prodigiosas daquelas ilhas e, com o passar dos anos, cresciam as lendas que circulavam de boca em boca pelos desertos, pelas cidades e pelos mercados da África. Nelas cresciam, coladas nas folhas das plantas, animais diminutos que podiam tingir as roupas de uma cor púrpura muito bonita. Tão bonita que nem os deuses gozavam de túnicas daquela cor. Ninguém havia conseguido chegar àquelas paragens.

Houve um sultão da antiguidade que conseguiu ter uma túnica tingida com aquela substância. Foi invejado em todos os reinos vizinhos. A cor o distinguia dos outros reis e o elevava à categoria dos deuses. Não contou como havia chegado às Ilhas da Felicidade. Dizem que sonhou com os mapas. Nunca revelou a posição, nem as coordenadas. Lançou um sortilégio para impedir que alguém encontrasse o caminho. Aquele que o descobrisse viraria uma gaivota.

Jazmina e Walid olhavam pela janela e tentavam decifrar nos traços sobre a areia o caminho até aquelas ilhas. Um velho vendedor de histórias lhes havia contado que ali se encontrava o jardim das Hespérides. Era o eden da antiguidade. Os irmãos solitários demoraram muitos anos para encontrar os signos que a lua desenhava na areia quente do deserto. Traçaram

em papiros os esboços do que iam decifrando. Eram mapas intrincados, linhas que se cruzavam e entrecruzavam, formando caminhos, encruzilhadas e trilhas complicados de seguir e decifrar. Conheciam os caminhos do deserto e dos mares sem nunca terem saído da pequena casa do Saara. Nos anos que passaram copiando anotações com tinta escura, haviam aprendido a língua da areia e das sombras.

Jazmina e Walid olhavam a lua e sentiam um carinho doce e terno. Tinham recopilado todas as histórias que falavam das ilhas. Davam comida aos charlatões e vendedores de palavras que passavam na frente da cabana, seguindo as trilhas do deserto em direção à Arábia, e os faziam contar relatos de viagens. Separavam cuidadosamente na memória os dados e alusões às ilhas. Depois, no silêncio da noite e na calma dos dias amarelos, analisavam com esmero os indícios veementes. Tinham decidido, em segredo, empreender a aventura. Combinaram de guardar o dinheiro e as coisas valiosas que encontrassem para poder financiar a expedição. Passou muito tempo e quase não crescia a fortuna de que necessitavam.

No cantinho em que esconderam os mapas e os documentos, podia-se escutar o murmúrio de séculos, de vozes secretas que falavam línguas que nunca tinham ouvido.

Um dia, chegou à casa um sultão viajante, que todos chamavam de Sultão Gaivota, porque tinha a maldição de viajar eternamente, transformado em ave. Contou a eles que errava pela terra em busca dos lugares que um dia havia sonhado. Não descansaria até o dia em que encontrasse as paragens da felicidade. Então, poderia fundar um povoado novo. Explicou a eles que um antepassado sonhou com o caminho até as Ilhas do Grande Vulcão.

Jazmina e Walid contemplaram aquele viajante que brilhava como um ser saído das histórias que guardavam copiadas nos papiros velhos. Sacudiu o pó do deserto das babuchas bordadas em ouro e elas brilharam feridas pelo sol. O Sultão parecia ter saído de um sonho milenar. Os olhos resplandeceram com a luz do entardecer, pareciam incrédulos. Cambaleou, como se não estivesse acostumado a caminhar. Mostrou um sorriso lindo, cheio de agradecimentos. Suas palavras soaram, profundas, como se estivessem perdidas no tempo. Parecia ser construído por ideias e sonhos, não era como os outros humanos. Olhou para os garotos. Uma lágrima se formou nos olhos do Sultão, o que o fez parecer mais belo e eterno.

Olhavam-no como quem olha um ser sobrenatural. Ele lhes pediu água. Eles tiraram uma velha bandeja trabalhada em prata, cheia de laranjas cheirosas, tâmaras que pareciam de nácar e um jarro de água fresca.

Olhavam para ele em silêncio, enquanto descascava uma laranja. Umas gotas de suco salpicaram o chão e o cheiro da

fruta se espalhou como uma fragrância prisioneira. Ele era diferente dos homens que tinham conhecido no deserto. A pele, mesmo que morena, era lustrosa e, ainda que o suor a cobrisse naquele momento, emanava um aroma delicado. O cabelo saía do turbante, caía sobre as costas e era de um negro intenso, com brilhos sedosos. As mãos eram as de um homem elegante e honrado. Mas o que mais se destacava em sua pessoa era o olhar. Limpo e claro como as gotas d'água que ficam nas folhas das plantas depois da chuva. Era um olhar que enchia tudo de fantasia e de sonhos, repleto de utopias e de paraísos. O Sultão Gaivota expressou seu agradecimento aos garotos e lhes deu de presente um de seus anéis. Depois, adormeceu profundamente, vencido pelo cansaço. Seus sonhos brilhavam em sua testa, da mesma forma em que se refletiam as imagens na tela do teatro de sombras. Viram as ilhas da quimera. As paragens verdes de bosques sombrios com o chão cheio de folhas e flores. As laurissilvas úmidas e lamuriantes. As praias de areias negras que serviam de repouso para as ondas. Os céus azuis e os terríveis vulcões como tochas do mundo.

    O Sultão Gaivota acordou sobressaltado. Uma pena dourada que permanecia suspensa ainda em seu turbante caiu no chão. Os garotos o olharam, intrigados. Sabiam que guardava algum segredo. Ele se calou por um instante que lhes

pareceu muito longo. Os três se interrogaram. Ele percebeu que eles sabiam o caminho das ilhas.

Finalmente, falou. Os garotos escutaram com entusiasmo. A voz soou longínqua, como se temesse falar:

– Faz muitos anos, tantos anos que nem sequer consigo recordar, viveu um sultão poderoso no Oriente. Atravessou terras e mares até que encontrou as ilhas de que falavam todos os textos dos antepassados e que ele havia sonhado em uma noite de lua cheia. Assim que as descobriu, nomeou-as Ilhas da Felicidade, porque lá não encontrou resistência de guerreiros, nem os homens que as habitavam conheciam a violência, nem as armas. Não sentiu nem frio nem calor e, cada vez que esteve com fome, só teve que buscar os frutos que cresciam nos bosques. Era a terra prometida aos homens bons. Trouxe de sua primeira viagem uma capa tingida com uma tinta natural das ilhas que foi a inveja de todos os soberanos, já que era a cor púrpura mais nítida e brilhante que já se havia visto. Passeou com sua túnica por todos os reinos da África e da Europa, demonstrando seu poder. Não confiou a ninguém a rota para o arquipélago. Em cada viagem que fazia, trazia uma túnica nova e, quando chegava, matava na costa da África todos os marinheiros e soltados que o haviam acompanhado. Não escreveu mapas nem diários de suas aventuras.

"Eu sou o sobrinho dele. Apenas falei com ele duas ou três vezes, porque sua presença me atemorizava. Uma de suas esposas me contou um dia que o sultão conhecia o caminho para umas ilhas maravilhosas. Desde aquele dia, estive tentando averiguar a história, a localização e a rota do arquipélago. Meus familiares e amigos me avisaram em segredo que deixasse de pesquisar e perguntar, porque o sultão tinha feito um pacto com as forças do mal para ninguém relevar seu segredo. Viraria uma gaivota quem descobrisse. No dia em que eu também viraria um sultão, já que a morte de meu pai me fazia herdeiro de um pequeno reino ao sul do Saara, meu tio percebeu que eu tinha sonhado seus sonhos e, sem poder dizer uma palavra, transformei-me em uma gaivota. Voava da mesquita à almedina e até os terraços. Meus súditos me reconheciam, porque minhas penas não eram como as das outras gaivotas, eram de ouro. Com o tempo, as pessoas se cansaram de ter uma ave como monarca e esqueceram. Decidiram nomear um de meus primos como sucessor. A partir daquele dia, volto de quando em quando a meu reino. Vejo meus amigos, meus irmãos, as ruas que tantas vezes pisei e chegam até mim os cheiros da cidade que amei e as fragrâncias com que tantas vezes perfumei minha pele.

"Depois, voltava às costas para respirar o ar marinho, avistar o horizonte buscando sinais secretos do caminho às

ilhas dos sonhos. Não sei quanto tempo passou desde o dia de minha transformação sob os sortilégios de meu tio avarento. Nem sei qual é o lugar em que me encontro. Uma rajada de ar me arrastou da costa e me trouxe à porta desta cabana. Notei que minha aparência mudaria quando já estava perto do chão. Sabia que quando encontrasse duas almas como a minha, capazes de ler os sonhos das outras pessoas, voltaria a recobrar meu corpo humano e, quem sabe, reinaria outra vez. Ainda que tenha de lhes confessar que, depois de ter conhecido o mundo pelo ar, não me interessa nem o poder nem a riqueza. Conheci a vida da meditação, do pensamento e da reflexão. Provei a emoção ante a beleza da natureza e agora só aspiro encontrar o meu amor.

"Sei que ainda não falei sobre ela. Mas é que não houve tempo. Ela é a razão da minha existência e a única esperança que me resta."

O príncipe brilhava ainda mais belo que antes. Pegou um pedaço de laranja e mordeu-o, deixando a estância cheia do perfume da flor de laranjeira. Jazmina e Walid o olharam com olhos brilhantes.

– Em uma das viagens que fiz à Ilha do Grande Vulcão em sonhos, conheci a mulher mais bonita que havia visto. Era uma garota de cabeleira longa. Chegava até seu tornozelo e brilhava como os raios do mesmo sol que ela adorava. Segui-a durante horas, comovido ante os olhos negros, ante as mãos brancas, ante os pés ligeiros e ante sua arrogância e vitalidade. Era um ser livre. Percebi imediatamente pela forma de caminhar e nadar na praia. Brincava com as gaivotas e me beijou no bico. Deixei cair uma pena, que ela colocou no cabelo. Não consegui sonhar de novo com ela.

Naquela noite, Jazmina e Walid não conseguiram dormir. Ouviram do quarto o sultão se movendo e suspirando na cama que improvisaram na sala. Depois, escutaram-no chorar durante horas. Ao amanhecer, o cansaço os venceu e dormiram exaustos de emoção. As fantasias de tantos anos se agitavam nas mentes enlouquecidas de sonhos bagunçados. Muito cedo se levantaram e foram ao cofre dos segredos, ao caixote de madeira velha onde guardavam os mapas que durante anos haviam confeccionado, decifrando as palavras de viajantes perdidos e entrelaçando histórias loucas de contadores e charlatães. Passaram sete dias e sete noites estudando e discutindo os mapas e os maços de papéis. Sabiam que descobririam o caminho até a felicidade e a liberdade. Os três irradiavam juventude, beleza e esperança.

Os meses seguintes foram intensos. Jazmina e Walid venderam a casa e toda a mobília. Colocaram no cemitério, junto à tumba de Selma, sua mãe, uma cumbuca cheia de sementes para os pássaros levarem sua alma ao paraíso. Choraram ao se despedir das palmeiras e das terras amarelas de Douz. Percorreram o deserto em direção ao leste. Encontraram caravanas e tribos berberes. Seguiram o rastro de camelos e os símbolos que a lua projetava sobre a areia.

Chegaram a Agadir e contemplaram as praias e as ondas durante horas, em silêncio. A agitação dos dias seguintes não os deixava pensar. Compraram um barco e contrataram uma tripulação de marinheiros velhos e esfarrapados. Um comandante chinês e um contramestre genovês foram os oficiais encarregados de levá-los à utopia.

O final desta história ninguém sabe com certeza. Uns dizem que o barco deles desapareceu, tragado por um maremoto na frente da costa de Agadir. Outros contam que chegaram às Ilhas da Felicidade e que lá fundaram uma nova civilização e que foram felizes durante muitos anos.

Outros inventaram lendas sobre três gaivotas de penas douradas que, às vezes, são vistas volteando terra adentro, no sopé do Grande Vulcão.

África, a de rios caudalosos, das selvas verdes e do ar limpo, fugia em direção a um deserto carbonizado. O continente mágico e antigo chorava em silêncio. Quando uma manta amarela e seca cobriu a vida, um grito de animal ferido, aterrador, se ouviu no mundo.

O velho narrador

CAPÍTULO 10

O último baobá

Ninguém acreditava mais nas antigas lendas. Os narradores que se sentavam embaixo do baobá a desemaranhar longas histórias, protegidos pelas estrelas, já tinham partido quando a areia chegou.

As palavras estavam caladas.

Ninguém mais acreditava em um céu protetor.

África era um enorme lençol amarelo. A areia, grão a grão, tinha construído um grande deserto. Interminável.

Ninguém percebeu, ou ninguém quis se dar conta.

A desolação chegou em silêncio.

Aconteceu quando os glaciais se esvaneceram em uma queixa interminável, quando os ursos e as baleias se converteram em recordação, quando as águias perderam o rumo.

O céu, cansado da torpeza da humanidade, se refugiou em outro céu, mais distante.

Fugiu. Não podia mais proteger a terra.

O velho tinha visto as pessoas partirem, os mais jovens em direção ao norte, os mais fracos em direção à escuridão.

Sentiu uma nostalgia distante o invadir lentamente.

O velho narrador, embaixo do último baobá, contou uma lenda antiga.

Nela, falava do nascimento das estrelas, da luz, do mundo... Mas não havia ninguém mais disposto a escutar um velho prosador.

Olhou em torno, procurando algum ouvido. África, rio amarelo, estava rodeada de silêncio. Buscou uma estrela perdida, no céu só havia escuridão.

O velho apoiou as costas cansadas no tronco dolorido do baobá. Casca com casca.

Pele rachada, alma dolorida.

A árvore da vida estremeceu.

O vento dava rajadas contra a areia carbonizada.

Tinha que partir. Sabia que tudo se acabava. O último baobá e a última voz da África iriam embora juntos.

Abriu o punho. Trêmulo, contemplou a semente diminuta que havia guardado tanto tempo.

A semente da esperança.

Olhou a árvore. Era o momento. Não se pode atrasar a retirada.

Separou a areia até chegar à terra.

Virou a mão e, pela linha da vida, girou a semente até encontrar um sulco.

O baobá havia aberto a casca e do oculto coração brotou a água milagrosa.

A árvore era a vida.

O velho voltou a fazer crescer baobás grandiosos como gigantes que beijavam as nuvens. Agora, sobre os escritórios, nos telhados, sobre as avenidas e os trens; nos beirais, sobre comércios, bancos e ministérios crescem trepadeiras coloridas. Embaixo delas, está escondida a destruição como uma lembrança dolorosa.

Entre os dedos
tremeu a semente.
Diminuta e brilhante.

Nunca imaginou
que sairia de lá
um dragão alado,
uma sereia de
ondulantes cabelos,
um sonho eterno
de esperanças.

Ernesto Rodríguez Abad

As histórias herdadas entre as pedras, os bosques e o mar forjaram meu caráter, fizeram com que eu me interessasse pela palavra. Contar, ler e escrever têm sido o eixo de minha vida artística e de meu compromisso pessoal com o mundo.

As histórias de pirata ficaram plasmadas em obras de teatro como *Kid Manodura* (Kid Mãodeferro) ou em romances como *El pirata sombra* (O pirata sombra); a preocupação com o resgate se refletiu em textos como *El árbol de las palabras* (A árvore das palavras), *Leyendas de agua* (Lendas da água) ou em livros de teoria como *Te cuento para que cuentes* (Conto para você contar). Também quis incentivar as pessoas a entrarem no mundo dos livros, por isso publiquei *Animando a animar* (Animando para animar) e *Juegos teatrales para animar a leer* (Brincadeiras teatrais para incentivar a leitura). São muitos os textos poéticos como *Cosas de dioses* (Coisas de deuses) e o romance *Sombra de cristal* (Sombra de cristal). E materiais para brincar e criar como *Cuentos encajados* (Contos encaixados) e *Calle imaginación* (Rua imaginação).

Minha vida é isto: uma caixa cheia de palavras e uma rua em que a imaginação habite.

Este livro foi reimpresso, em terceira edição,
em fevereiro de 2024, em *offset* 90 g/m^2,
com capa em cartão 250 g/m^2.